THE WEE BOOK O' CLUDGIE BANTER

THE WEE BOOK O' CLUDGIE BANTER

By **Susan Cohen**
Illustrated by **Jane Cornwell**

Text copyright © 2019
Susan Cohen www.susancohen.co.uk

Illustration copyright © 2019
Jane Cornwell www.janecornwell.co.uk

Edited by Angus Stewart

A CIP record of this book is available from the British Library.

Paperback ISBN 978-1-9164915-2-6

First published in the UK in 2019 by The Wee Book Company Ltd.
www.theweebookcompany.com

Printed and bound by Bell & Bain Ltd, Glasgow.

THIS WEE BOOK IS DEDICATED TAE CLUDGIE
SITTERS THE WURLD O'ER WHO LUV THEIR PEACE
AHINT THE LOCKED DOOR, FAR FRAE THE PURE
MENTAL RIP ROARIN' STRAMASH O' MODERN LIFE.

LET YER WEE BOOK RAISE A TITTER WHILE YE'RE SITTIN' OAN THE … LAVVY

Welcome tae the Wee Book o' Cludgie Banter!

Okey dokey, ma wee pal ye've got a wee bit o' time tae yersel', daein' absolutely hee haw, except lettin' yer boady dae whit comes natural. Thit's jist rare.

Did ye ken tha' oan average, fowk spend wan hour an' forty-two minutes ivry week in the cludgie? An' did ye ken tha' o'er forty-five per cent o' Scots believe tha' the cludgie is the only place they can get ony peace an' quiet? Jings! Jist look how important wur cludgies are tae us!

Weel, let this Wee Book be yer best pal in yer fav'rite place. Let it raise a wee titter whilst ye bide yer time oan the … lavvy, a' safely locked awa' frae the racin' chasin' middens o' everyday life. Remember noo, in the cludgie, naebody… but naebody… can hear ye scream.

Mind, if ye're readin' this in a cubicle in wan o' thae public toilets, dinnae:

- chase fur yer pandrops when they drop oot o' yer pooch an' roll unner the cubicle wa'.
- cry 'Whoa! How did tha' git there?'
- tak' a phone call frae yer Maw an' tell her there's an echo 'cos ye're sumwhere pan loafy wi' a high ceilin'.
- sing a' the top o' yer voice an' ask a'body else tae join in, 'a' taegither noo!'
- cheer an' clap when sumwan maks wan o' thae tell-tale noises in the next cubicle.
- cry 'Tha' looks jist lik' a balti!'
- ring ony o' thae numbers scribbled oan the back o' the door. It'll a' end in tears, sure it will.
- scribble yer phone number oan the back o' the door addin' the wurds, 'Lookin' fur a guid time? Call me.' It'll a' end in tears, double sure it will.
- cry 'Hus onywan got a plunger handy?'
- share yer Wee Book, nae matter how much they beg.

WAN LINERS FRAE SCOTTISH STAUND UPS

'If something's neither here nor there, where the hell is it?' Chic Murray

'Never trust a man who, when left alone in a room with a tea cosy, doesn't try it on.' Billy Connolly

'I'm very old now and I've got a body like a dropped lasagne. Women now look at my naked body in the same fearful way that pensioners look at snow.' Frankie Boyle

'I'm Glaswegian. Don't worry, your handbags are safe!' Susan Calman

'There will be a lot of people watching who will wonder what does a true Scotsman wear under his kilt, and I can tell you a true Scotsman will never tell you what he wears under his kilt. He will show you at the drop of a hat.' Fred MacAulay

[Oan reasons tae drink Irn Bru] 'Water: it tastes o' f**k all!' Limmy

'Why do English people think Irn Bru is Lucozade?' Jojo Sutherland an' Susan Morrison

'Where's my grammar teacher at?' Sanjeev Kohli

'Izat a marra on yer barra, Clara?' Stanley Baxter

'Politics in Scotland is far too important to be taken seriously.' Rory Bremner

'Everything Donald Trump has said I have heard before from a Glasgow driver.' Kevin Bridges

'Aye, I'm tellin' ye, happiness is one of the few things in this world that doubles every time ye share it wi' someone else. Harry Lauder

THINGS NO' TAE SAY WHEN YE'RE GETTIN' MEASURED FUR A KILT

'While ye're doon there...

'Add an inch or twa 'cos ah'll be gaun commando, if ye ken whit ah mean' [wink]

'Does ma bum look big in this?'

'Hope yer haunds are warm.'

'Can ye mak' it up in a nice sauft PVC?'

'Ah think ah've changed ma mind, ah dinnae like the skirt thing.'

'Is this whit they wear in Paris?'

'Huv ah got tae wear the wee badger haundbag wi' it?'

'Can ye add a wee hint o' lace aroond the hem?'

'Cuid ye sew a 'Handmade in England' label intae the waistband?'

RUN. FUR. YER. LIFE.

FITBA' CHANTS FRAE THE TERRACES

Deep fry yer pizzas
We're gonna deep fry yer pizzas
Deep fry yer pizz-ahhhhs
We're gonna deep fry yer pizzas
(When Scotland faced Italy in a World Cup qualifier back in 2007)

Deep fry yer croissants
We're gonna deep fry yer croissants
Deep fry yer croiss-ants
We're gonna deep fry yer croissants
(When Scotland faced France)

Wan team in Tallinn
There's only wan team in Tallinn
Wan team in Tall-innnnn
There's only wan team in Tallin
(When Estonia didnae turn up fur the 1996 World Cup
qualifier against Scotland)

15

Sing when yer fishin'
Ye only sing when yer fishin'
Sing when yer fish-innnnn'
Ye only sing when yer fishin'
(Sung tae Norway)

Sing when yer whalin'
Ye only sing when yer whalin'
Sing when yer whal-innnnnn'
Ye only sing when yer whalin'
(Sung tae Norway)

I wanna be a Berwick Ranger
Only live fur sex an' danger
(Heard at Berwick v Rangers)

He's fat
He's round
Ideologically unsound
Kim Jong-Il
Kim Jong-Il
(When Scotland played North Korea in the Kirin Cup)

It Must Be Giro Day In Greenock!
(Heard at Cappielow, commenting oan sum gadgie staundin'
in front o' the terraces)

He's blue, he's white
His name is French for shite!
(Heard at Kilmarnock, directed at French striker David Merdy)

We don't need no Maradonna
We don't need his ball control
We don't pass to one another
We just rush up to the goal
Hey – Scotland – leave us [blokes] alone
All in all it's just another Jock on the ball.
(Sung sumwhere tae the tune o' Pink Floyd's 'Another Brick In The Wall')

Never mind a Prince
Gie us a Panda!
Never mind a Prince
Gie us a Pan-Daaaaahhh!
(Heard at the Hibs ground days efter Prince George wus born an' when Scotland was huddin' its breath o'er Tian Tian, Edinburgh Zoo's giant panda, suspected tae be pregnant at the time)

You're no' very good
You're no' very good
You're no' very good
You're no' very good
(Celtic fans tae Hibs at Easter Road)

You're no' very clean
You're no' very clean
You're no' very clean
You're no' very clean
(Hibs fans tae Celtic at Easter Road)

Hello, hello, the only song you know!
(Heard at Ibrox)

A WEE WURDY PUZZLE

Fill in thae blanks...

1. Breeks
2. Carefoo
3. Soap powder oan the windae ledge sayin' the Auld Man's Oot
4. Whit a gadgie cries his wee man
5. An angel's opposite number
6. Nae young
7. Stinkin'
8. An awfy thirst

```
_ _ _ S
    C _ _ _ _ _
  _ _ O
    T _ _ _ _ _
_ _ _ L
    A _ _ _
_ _ _ _ _ N
    D _ _ _ _ _ _
```

Answers upside doon (nae keekin'!)

1. Kegs; 2. Canny; 3. OMO; 4. Tadger; 5. Deil; 6. Auld; 7. Mingin'; 8. Drouth

THINGS YE'D RATHER DAE THAN GANG TAE THON EDINBURGH FESTIVAL

- Fry up an' scoof doon yer left shoe.
- Dae yer wee nephew's algebra hamework.
- Swim across the Minch dressed as a mackerel.
- Toss the caber wearin' a blindfold.
- Wear yer platforms an' Bay City Rollers trews tae the fitba'.
- Dance the Slosh wi' yer Maw sober.
- Gang oan yer holidays tae thon Costa Brava an' actually speak Spanish.
- Discuss Brexit o'er a pint wi' a group o' yer best pals oan a Saturday nicht.
- Go tae yer High School Reunion an' sit next tae yer creepy auld history teacher.
- Be a model fur the auld fowks' hame life drawin' class.
- Walk the West Heighlan' Way in thae sling back stilettos.

- Spend a week wi' yer Great Auntie Jean tae find oot mair aboot her chilblains.
- Hae a wee pink cocktail in a Celtic pub dressed in blue an' white.
- Hae a wee pink cocktail in a Rangers pub dressed in green an' white.
- Cheer oan England at thon Wurld Cup.
- Invite yer maw-in-law tae move intae the spare room.
- Tak' yer neighbour's scabby wee dug fur the holidays.
- Go tae yur wurk dressed as Big Morag the Tartan Fairy.

- Learn a' the wurds o' Tam O' Shanter.
- Waterski behind a Cal-Mac tae Mull.

PARLIAMO CLUDGIE

SANOFFYRUFFBITOBOGROLLTHA'!
(Now that is an abrasive piece of toilet roll.)

WHERRAHERZARESTOTHONBOGROLLA'?
(Where on earth are the toilet rolls stored?)

JEEZTHAURSHEEHAWTAEWIPEMAERSE!
(Oh dear. It appears that we've run out of toilet roll.)

FURRALUVVAPETEAMWIPINMAERSEWIFEATHERSANUNICORNS!
(I can barely believe just how soft this toilet roll is.)

WHARRABURRAWEESPRAYOSCENTFURRASTINKINERE?
(I think it may be a good idea to find some air freshener.)

MAERSEIZINTATTERSEFTERTHONRUBY!
(That curry has given me problems in the bottom department.)

OFURFECKSAKEMAFONESGAUNDOONTHEPANAGIN!
(Once more I have dropped my mobile phone into the toilet.)

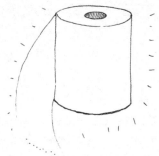

OFURRALUVOTHEWEEMANAVGITTHERUNS!
(Oh dear Lord, I have diahorrea.)

WHERRZACHUFFINPLUNGERAVGAUNANBLOCKEDTHEPANAGIN?
(Where is the plunger? Once more, I have blocked the toilet.)

AYAMGONTIHUVTANIPITAUF!
(I am in such a hurry, I doubt I will be able to finish my bowel movement.)

AYAMGONTIHUVTIGERRUPSOONAZMAERSIZNUMB!
(Ouch. I have been sitting here for far too long.)

AHTHINKAVGONANLOSTHEUSEOMALEGS!
(Ouch. I really have been sitting here for far too long.)

GOANHENGABOOTSUMITHERCLUDGIECOSAMLOVINMAWEEBOOK!
(Queue outside the door of another toilet, because I'm in here very happily engrossed in my Wee Book!)

CLUDGIE MINDFOONESS

Did ye ken thit wi' a wee bit o' practice, ye can calm yer heid richt doon, e'en oan the cludgie, usin' sumthin' cried mindfooness? Weel, jist sit there an' get comfy, breathin' oot an' in, oot an' in, feelin' the air flowin' intae yer body, sittin' richt up straight, wi' yer haunds oan yer knees, focusin' oan the risin' an' the fallin' o yer chist as ye breath in an' oot, in an' oot...bringin' ye richt intae the here an' noo...

Think o' yersel' sittin' oan a big golden throne on top o' a high mountain. The sun's shinin' oan yer fizzer an' the fresh, sweet air fills up yer lungs, makin' ye sit taller, makin' ye feel brichter an' mair alive. Aye, thit feels guid. Ye're sittin' there a' powerful an' at peace, the master o' a' ye survey. From yer throne, ye can see sumthin' in the distance an' as it comes closer, ye see thit it's a bonnie braw golden eagle. As ye watch mair closely, ye feel its power drawin' ye in until ye feel thit ye can soar up intae thon blue sky yersel', leavin' yer throne way behind ye. Ye can feel yersel' swoopin' an' swurlin' beside the big burd, feelin' its power an' its freedom. Ye can fly wheriver ye want, o'er lochs an' glens, hills an' mountains, rivers an' seas.

Far below ye is the stramash o' yer life but frae way up here, a' yer cares an' wurries seem awfy wee an' far, far awa'. Noo thit ye're able tae see things frae a different perspective, way up high, a' thing seems different, an' yer heid feels clear an' free. How guid does thit feel, eh?

JIST HOW BRAVEHEART ARE YE?

Ye see a gadgie hoof it doon the road carryin' six bottles o' Buckie an' a Curly Wurly, bein' chased by a ragin' shopkeeper. Dae ye:

a) Shout tae the shopkeeper 'dinnae fash! Yon's bad fur ye at yer age. Gaun back an' huv a wee seat doon.'

b) Shout tae the gadgie 'haud oan! Ye cannae drink a' six Buckies. Geezwan!'

c) Run efter the gadgie, tackle him tae the ground, get the gear back, git a grovellin' apology an' a promise tae mend his evil ways.

Ye see a wee wifie bein' dragged intae the deep dark waters o' Loch Ness by a muckle great beastie. Dae ye:

a) Shout 'haud oan! Ye've forgotten yer haundbag!'

b) Tak' a picture an' post it oan yer facebook thingumay.

c) Stride intae the waters an' punch the beastie on the nose cos sumwan once said thit's whit ye shuid dae tae a crocodile.

Ye're walkin' doon the road an' notice tha' there's a tenner lyin' oan the pavement. Dae ye:

a) Slip it intae yer pooch lik' a sleekit wee sap, an' walk oan by. Nothin' tae see here ...

b) Hauf-hearted-lik', hud up the tenner an' cry/whisper, 'onywan lost a'thin'? Naw? Fair do's!' Then ye fold it intae yer pooch an' hoof it. Nothin' tae see here ...

c) Wave the tenner aboot yer heid cryin', 'Get me! Ah've found a tenner! Who's comin' tae the boozer? Thae pork scratchin's are oan me!'

Ye come across a group o' drunken pensioners oan the last bus hame. Wan o' them is hangin' frae a strap, his wee feet danglin', while a' thae others are laughin' an' singin' 'Sunshine On Leith'. An auld yin turns roond an' asks ye tae join in. Dae ye:

a) Pretend ye didnae hear an' put yer 'phone tae yer lug as if ye've jist hud an urgent call frae yer Granny.

b) Say 'naw, ye're a' right, pal. Ah'll jist sit tight where ah am an' enjoy the show!'

c) Get up auf yer seat, release the poor wee gadgie hangin' frae the roof, mak' sure his bachoochie's planted safely doon, and join richt in, as if ye wur the third Proclaimer.

Ye see next door's trampoline roll doon the street, bein' blawn tae buggery by yon Hurricane Bawbag. Dae ye:

a) Piss yersel' laughin' an ca' yer family through tae see 'cos thit'll teach thae show-aufs next door tae keep paradin' their new kit frae Argos.

b) Tak' a wee video an' post it oan youtube wi' a hee hawin' commentary.

c) Run ootside an' catch the trampoline an' roll it back tae its richtful place.

Ye see a wee scabby dug pish a' o'er a pile o' jaikets piled up a' the side o' the playgroond when a' the weans an' their Maws are scamperin' aroond the swings. Dae ye:

a) Pretend ye nivver saw an' walk oan by.

b) Cry at the wee scabby dug, 'vamoose! Scram! Gerroff!' an' hope tha' wan o' the Maws sees ye daein' the richt thing, before ye hoof it awa' oan yer toes.

c) Go an' find the owner an' tell 'im tae sort it oot pronto. Then shout o'er tae the Maws, 'Dinnae wurry, ah'm gaun tae stand guard 'til ye're ready. Gaun huv a hooley!'

Ye see a muckle great seagull swoop doon oan a gadgie's chip supper at the beach oan a dreich summer efternoon. Dae ye:

a) Shout at the gadgie, 'ye silly bugger, haud oan tae yer chips!'

b) Snatch the chips frae the gadgie sayin' 'they're a' spoilt noo, ah'll dae ye a favour an' tak' them auf yer haunds!'

c) Run up and doon the seafront fur the rest o' the efternoon shoo-shoo-shooin' the mingin' gulls a'wa.

Answers:

Mostly a) Ye maukit, mingin', loodmooth coward, ye!

Mostly b) Ye're as wide as the Clyde an' a balloon o' hot air.

Mostly c) Wharrahero. Ye're a walkin' talkin' Braveheart. Gaun yersel'!

CLUDGIE WURDSEARCH

BREEKS ....>>.....................

KEGS ...>>.....................................

BUNGEDUP ....>>...........

LAVVYPAPER ....>>......

CLUDGIE ...>>.................................

PISH ....>>...........................

FARTYPANTS ....>>......

POOP ....>>...............

JOBBY ....>>...............................

SHITE ....>>................................

KEECH.......................................>>.....

SKITTERS ....>>...

42

```
P  S  X  F  L  H  Z  N  J  Y  P  D  W  K  S
I  P  K  F  M  A  G  L  R  B  K  O  E  C  K
S  K  E  E  C  H  V  M  J  B  I  G  O  K  I
H  P  F  F  E  R  H  V  U  O  S  W  R  P  T
L  C  W  D  V  R  Q  I  Y  J  B  S  P  D  T
Y  M  K  M  N  X  B  P  N  P  S  M  R  J  E
Q  W  J  C  C  T  I  N  C  B  A  S  R  B  R
X  D  I  U  B  I  T  O  W  Y  A  P  U  N  S
E  I  G  D  U  L  C  X  G  E  G  N  E  W  A
F  A  R  T  Y  P  A  N  T  S  G  R  T  R  G
M  Q  F  E  G  E  G  I  E  E  T  C  H  W  S
J  H  Q  H  O  J  H  V  D  M  S  B  N  S  O
C  U  V  R  Q  S  Z  U  E  C  G  U  Z  E  Q
T  Z  T  I  W  L  P  G  P  R  A  N  Z  K  N
K  O  J  F  B  S  R  W  D  J  J  A  J  B  K
```

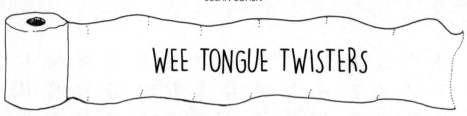

WEE TONGUE TWISTERS

The peppy puppy the prince presented the princess produced piles o' poop in the palace.

Hamish the happy haggis hurtled doon the hill.

Thon greedy gadgie grabbed Granny's garden gnome.

Please put yon porcupine in yer pants.

Naughty Nessie nuzzled ninety-nine night nurses.

Ma sister's shop sells shoes fur sheep.

The nervous nurse hud anither nasty nosebleed an' needed nine napkins fur her nostrils.

Thae hippos heard the hunter's hiccups an' hurried hame tae hide.

If eight great apes ate eighty-eight grapes, guess how many grapes each great ape ate.

Ah'm no' a pheasant plucker,
Ah'm a pheasant plucker's son.
An' ah'm only pluckin' pheasants
'Til the pheasant plucker comes.

Ah slit the sheet
The sheet ah slit.
An' on the
Slitted sheet ah sit.

LAVVY CONTEMPLATION

Ah luv ma wee lavvy sae much tha' ah micht gie it a coupon-lift aye ma wee haven wuid look braw wi' sum fancypants fantoosh pan loafy curtains an' sum shiny taps mind mebbes whit maks it sae special is tha' naebody kens ah'm in here unless ah tak' ma 'phone in wi' me but why wuid ah efter a' ah've got ma fav'rite Wee Cludgie Book an' onywiy thon 'phone's lik' a sleekit wee bawbag oan the radge tha' lives in ma hip pooch e'en when it's oan silent it still vibrates in a richt stooshie jist lik' a wean wi' a tantrum an' a fizzer gaun purple but aye ma wee lavvy's lik' heaven oan a stick ah micht git ma paws oan sum tartan wa'paper jings it'll be lik' Edinburgh Castle or Gleneagles or sumwhere in here mind nothin's tae guid fur ma wee lavvy oh chuffin' heck how dae ye hing wa'paper onyway don't ye huv tae get it a' straicht wi' a bit o' string an' a stone or sumthin' sumwan wance said ye huv tae match the pattern up an' cut it an' glue it an' chuff knows wha' else crivvens ah'm losin' the will tae live jist thinkin' o' it och when ah feel lik' tha' ah break intae a wee song wha's tha' wan by Lady Gaga agin oh aye oops ah did it agin naw tha's Britney ah cannae git ye oot o' ma heid naw tha's Kylie nivver mind ah'll find sumwan lik' yoo-hoo naw tha's Adele shine bricht lik' a diamond naw tha's Rhianna p p p pok-er face p p p pok-er face ah there ye go naebody lik' the Gaga eh or Lady Ga-Gahhh as ma Maw cries her wi'the emphasis oan the wrang 'Ga' bless but aye ah think ma wee lavvy cuid dae wi' a bit o' fizog-lift cos it's lookin' a bit doon at heel funny tha's wha' thon gallus gadgie said aboot me the ither day cheeky radge mebbes it wus jist cos ah'd got a bit o' toast pokin' oot o' ma shirt collar weel ah wus in a rush tha' morn an' ah must huv missed ma mooth or mebbes it wus becos ma shoes didnae match mind how wus ah tae know tha' the left wan was broon an' the richt wan was black c'moan it wus dark when ah got oot o' ma scratcher mind mebbes ah shuid huv noticed tha' wan hud a high heel an' the ither wus a flattie richt enuf but aye ma wee lavvy's wan o' ma fav'rite places in the whole wide wurld ye can keep yer Costa del Sol an' yer Greek Islands an' yer Largs seafront an' a' thae fantoosh places cos lookin' aboot ma wee lavvy noo ah feel a' warm an' fuzzy it's ma special wee place sumwhere ah can get ma heid straicht awa' frae the roarin' ragin' pure mental stramash o' the wurld aye ah luv ma wee lavvy jist the way it is it's jist braw ah think ah'll keep ma paws auf.

AH DIDNAE KEN THIT ABOOT THE HEIGHLAN' GAMES

The Games are thocht tae huv originated in the 11th century when King Malcolm III o' Scotland summoned contestants tae a foot race tae the summit o' Craig Choinnich, overlooking Braemar, tae try tae scout oot a fast royal messenger.

The Cowal Heighlan' Games in Dunoon hus 3,500 competitors an' aroond 20,000 spectators makin' it the biggest in Scotland ivry year.

The Caledonian Club o' San Francisco hosts the biggest Heighlan' Games in the Northern Hemisphere wi' o'er 50,000 spectators.

Ivry year the Newtonmore Games is opened wi' the Clan MacPherson March an' their Annual Rally. They a' look richt bonnie wi' their kilts swingin'.

Forres Games hus the Message Bike Race, whaur spectators can turn participant an' race the field oan an auld message bike.

Taynuilt Games hus a competition tae climb the pole an' sum years, a bottle o' whisky is perched oan the top!

Birnam Games hus a haggis eatin' competition. Onywan o'er 18 can enter an' the fastest tae eat a' the haggis wins a Grand Prize.

Wan o' the dances in the dancin' competitions is the Irish Jig. The dancin' gadgies pretend tae be angry 'cos their leather breeks hud shrunk in the wash, an' the dancin' lassies pretend tae shake their fists richt back as if tae say, 'awa' an' raffle yersel', it wusnae ma fault!'

If ye're tossin' the caber, the caber hus tae travel completely vertical at 90 degrees tae the groond. It's scored by the angle thit it falls relative tae the ... ahem...tosser. The very best possible throw is wan thit crosses o'er then lands at 12 o'clock.

The Tug o' War is a serious business at ivry Heighlan' Games. Sumtimes local shinty teams get taegither tae pull against each ither, sumtimes teams o'heavyweight athletes, sumtimes teams frae their wurk. The Tug o' War is wan o' the auldest athletic contests kent in history. It wus part o' the Olympics in Ancient Greece!

There are solo pipin' competitions at ivry Games which date way back tae times competitions took place atween pipers o' neighbourin' clans.

At ivry Games there's grass track cycle racin'. The competition cried the Deil Tak' the Hindmost maks the cyclists go 'roond an' 'roond the track. The wan 'cross the line oan each lap hus tae drop oot 'til the final three ficht it oot fur the top places.

Phew. Huv ah whetted yer appetite? Ye've got tae go tae thae Games soon, eh? They need wur support!

*Tony Cohen, the author's beloved Dad, a hammer thrower an' a heavyweight champion. **The best tha' ever there was.***

THE MAGIC SPELL O' BANISHIN'

Did ye ken thit there are folk thit believe in magic? Och aye, they do. An' they may huv a point. If a magic spell is carried oot wi' heart an' wi' real intention, it may jist wurk!

Tak' the magic spell o' banishin'. It's a' aboot gettin' rid o' bad stuff thit's nippin' yer napper. So, when ye're sittin' there a' nice an' calm, think o' sumthin' thit's giein' ye grief, sumthin' thit's really giein' ye gip. Aye, ye ken whit ah mean! C'moan, it micht e'en be sumwan who's really gettin' oan yer … erm … wits.

Noo, reach fur a wee sheet or twa o' lavvy paper an' write it doon, keepin' yer thochts well an' truly oan whit or who's buggin' ye. Got it? Guid! Noo, scrunch it up in yer paw an' flush it doon the pan. Aye, tha's richt. Flush it clean awa'! An' wi it, flush a' yer bad feelins awa' too. Thit's it.

FLUSH, FLUSH, FLUSH it awa' tae buggery 'til it's a' gaun.
Vamooooooose! Cheerio! Arrivederci, el shite-ohhhh!!
Noo, auf ye go.
Lichter an' brichter!

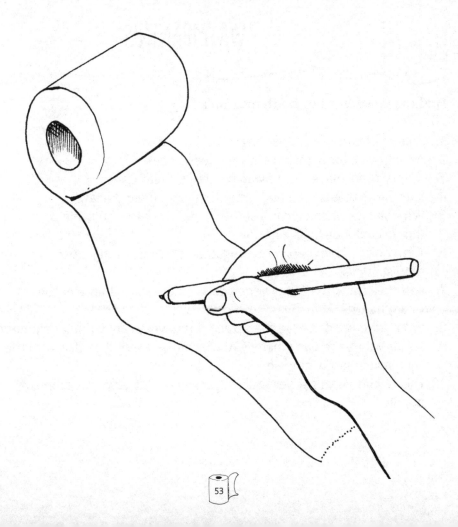

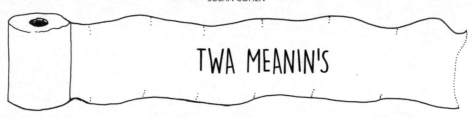

TWA MEANIN'S

Find the wurd thit hus baith meanin's:

1. A jab in the ribs – a paper bag
2. A toaty wee bit o' tartan – a wee sleekit peek
3. A dirty fitba' player – sumwan planted six feet unner
4. Sumthin' nae easy tae find – sumthin' pure dead brilliant
5. Whit ye dae when ye carry sumthin' awfy heavy – sumthin' thit ye couldnae hear withoot
6. Thon noise o' rain oan yer corrugated iron roof – yon jabber thit jist stinks
7. Posh folk think thit fancy wine's this – the constant answer tae y'allright, pal?
8. Whit ye've jist done tae the garden – the wee scabby thing next door
9. This is whit ye're oan when ye're winchin' – it's whit ye dae with the light switch in the cludgie
10. This is whit ye've get yer wellies stuck in – whit ye've jist dropped wan in

11. Sumthin' thit's fandabedozeee – sumthin' thit a wummin wears tae firm up her hooty mac boobs
12. The wee gadgie frae Ultravox – the wee beastie thit bites ye oan the erse
13. Christmas cards are foo o' them – sumthin' ye're daein' when ye stub yer big tae
14. A region in Northern Europe – chuffin' freezin'
15. Sumwan wi' orange hair – sumthin' ye scoof doon when ye've git the drouth
16. Sumthin' ye huv wi' yer tatties – sum shite yer pal talks efter a dram or twa
17. A sarnie – a bitty o' sumthin'
18. Pure dead brilliant – splittin' doon the middle
19. Fair puggled – broken doon
20. Dead cool – oaf a richt high standard

1. Poke; 2. Swatch; 3. Oot o' the game; 4. Rare; 5. Lug; 6. Patter; 7. Fine; 8. Dug; 9. Pull; 10. Bog; 11. Braw; 12. Midge; 13. Greetin'; 14. Baltic; 15. Ginger; 16. Mince 17. Piece; 18. Crackin'; 19. Knackert; 20. Qwaltry!

CLUDGIE AEROBICS

Mebbes sittin' oan the pan's an opporchancity tae get bits o' yer boady movin'. Howsaboot a wee go a' cludgie aerobics? Whadaeyasay?

Baltic Shrug... Shrug yer shooders richt up roond yer lugs lik' it's a baltic efternoon in December. Noo, let fa' them doon again cos mebbes it's no' tha' cauld efter a'. Keep gaun up an' doon lik' ye cannae mak' up yer mind. Up an doon ... up an' doon ... baltic ... nae, really ... baltic ... kinda warm-ish ...

Shooder Square Go... Noo, roll yer shooders backwards lik' ye're makin' muckle great circles in the air an' squarin' up tae a big dunderheid who's stolen yer scone. Noo, roll yer shooders forward lik' ye're daein' the circle backwards, cos ye've discovert tha' the dunderheid's seven feet high so ye're happy tae watch him scoof doon yer scran. Aye, tha's it, keep gaun roon' an' roon'... back an' back ... now forwards ... back ... forwards ... square go, ya dunderheid ... jings ye're a chuffin' giant ... square go, ya bawheid ... jings ye're mahoosive ...

Last Pie Stretch... Stretch yer arms oot lik'ye're reachin' fur the last hot pie in the shop, keep yer back straicht an' keep yer een focused oan yon stoatin' wee pie. Noo, bring yer arms back, bendin' yer elbows lik' the pie's tae chuffin' hot. Aye, stretch oot an' back ... oot an' back ... jist lik' ye cannae mak' up yer mind ... pie ... jeez, it's hot ... pie ... ooch, ma fingers ...

Dropped Yer Lolly... Stick yer chin richt doon oan yer collar bone lik' ye were a crabbit wee wean who's jist dropped his lolly, then put yer chin up, tiltin' yer heid back so ye're look up at the ceilin', lik'ye're tryin' check oot whether thon shitey pigeon tha' sits oan top o' the Wallace Monument hus gobbed it. Noo, look up an' doon, up an' doon ... whaur's thon mingin' pigeon ... ach, ah've gaun an' dropped ma lolly ... whaur's thon chuffin' pigeon ... ah want ma lolly ...

Wee Beastie Stomp... Lift yer left trotter wi' yer knee bent headin' fur yer chin, noo place it doon oan the flair lik' yer stompin' oan a wee beastie, then dae the same wi' yer richt trotter, lik' ye want tae mak' sure tha' thon beastie's well an' truly deid. Noo, lift up richt, then left ... richt ... left ... where's thon creepin' wee beastie? ... got it, it's deid! ... ah, there it is! ... well an' truly stuck tae ma shoe ...

Thievin' Gull... Stretch yer haunds rich oot an' clasp yer haunds an' yer fingers taegither, then bring them straicht up o'er yer napper an stretch up lik' a dirty big gull's got a haud o' yer piece an' ye're nae lettin' go. Noo, stretch up an' doon, up an' doon ... awa' tae buggery, ye dirty gull ... awa' tae buggery ye dirty gull ... ye're nae gettin' ma piece ...

Aye, a' tha's got yer heart rate up, eh? Crackin'!

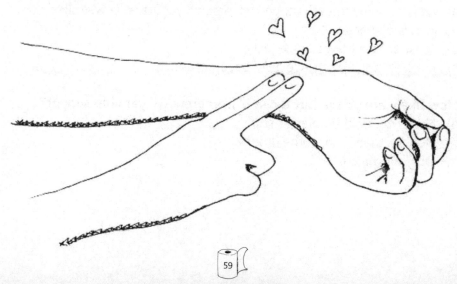

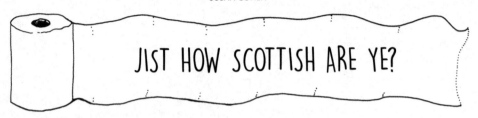

JIST HOW SCOTTISH ARE YE?

Wha' dae ye wear unner yer kilt?
a) When it's cauld – ivry day except thon twa days in June – ah wear thae thermals ma Maw gave me last birthday.
b) Ah wear a 'pair o' thae Davie Beckham scanty kegs.
c) C'moan, wheriver ye be, let yer wind gang free!

Whit's yer favourite breakfast?
a) Ah luv ma raw muesli topped wi' organic yogurt an' a wee slice or twa o' mango.
b) Toast an' ma Maw's apple jeely.
c) A roll an' square sausage an' a bacon chaser.

How likely are ye tae huv a can o' iron brew wi' yer chip supper?
a) Nivver touch thon orange stuff.
b) Noo an' then if ah've the drouth.
c) Only wi' ma chips?

How likely are ye tae eat salad?
a) Ah luv it! Ah cannae git enuf o' it!
b) Only if it's plonked oan the plate aside battered haddock.
c) Nivver. Whit in the chuff is the point o' a' thit chompin'?

How likely are ye tae sob an' wail lik' a wean when ye sing 'O' Flower o' Scotland' wi' yer pals?

a) Ah dinnae ken the wurds.

b) Och, ah luv tae hear thon bonny braw song, so ah dae.

c) Pass me yer hankie, fur chuff's sake! Mak' it quick!

How likely are ye tae wear a duffel, a bunnet or e'en onythin' warm and woollen in winter?

a) Oh, ah luv bein' a' wrapped up a roasty toasty, 'til a look lik' yon Michelin gadgie.

b) Only when ma Maw gangs oan the radge.

c) Nivver. Whaur's ma semmit? Better still – taps aff!

How likely are ye tae huv a wee dram afore bed?

a) Nivver, nae me, nae nivver.

b) Only if ah'm winchin'.

c) Only afore bed? Are ye takin' the pish?

Answers:

Mostly a) Dinnae ken whaur ye're frae but it's nae frae near roond here

Mostly b) Ye're a bit o' a mixed bag, are ye no'?

Mostly c) Halloooo, ma wee Scottish pal!

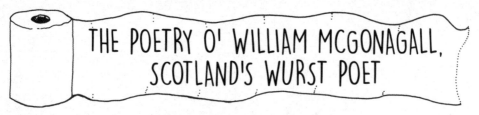

THE POETRY O' WILLIAM MCGONAGALL, SCOTLAND'S WURST POET

(MEBBES THE WURST POET THIT EVER THERE WUS)

William McGonagall is kent as Dundee's best known poet, but nae fur the richt reasons. He wusnae aware o' jist how boggin' his poems wur, dedicatin' his ain autobiography tae himsel', 'knowing none greater'. Wharragadgie, eh? Still, he's fondly remembered. There are McGonagall suppers aroond Scotland oan the anniversary o' his death when his poems are read oot, raisin' a chuckle here an' there.

To Sunlight Soap
You can use it with great pleasure and ease
Without wasting any elbow grease
And when washing the most dirty clothes
The sweat won't be dripping from your nose.

Aboot the River Tay
The Tay, the Tay, the Silvery Tay,
flows from Perth to Dundee every day.

The Tay Bridge Disaster
Had they been supported on each side with buttresses,
At least many sensible men confesses,
For the stronger we our houses do build,
The less chance we have of being killed.

William McGonagall died penniless in
1902 an' wus buried in an unmarked
grave in Greyfriars Kirkyard in Edinburgh.
A grave slab installed tae his memory
in 1999 is inscribed:

**William McGonagall
Poet and Tragedian**
I am your gracious Majesty
ever faithful to Thee,
William McGonagall, the Poor Poet,
That lives in Dundee.

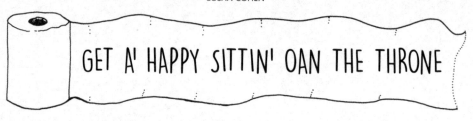

GET A' HAPPY SITTIN' OAN THE THRONE

So, ma wee pal, how's yer day gaun?

Weel, even if yer day is turnin' oot tae be shite oan a stick, rustle up a smile an' keep it oan yer fizzer fur a few minutes. Did ye know thit jist the action o' settin' yer facial muscles into a big wide grin maks ye feel happy?

Aye, it does!

If ye're really strugglin', put a pencil (or a toothbrush) atween yer teeth an' hud it there. Ye'll be stretchin' yer muscles intae the same grin, an' ye'll end up feeling guid an' foo o' thae joys anyhoo.

Gaun try it. Surprise yersel'!

GRANNY'S SAYIN'S

Wur wee Grannies hud ways o' expressin' themselves thit wuid put yon Shakespeare gadgie tae shame. They a'ways hit their targets!

We huv a' the time there is.
The best present is yer time.
Use whit ye've got an' ye'll nivver want.
Break your cannaes an' mak' pictures.
Mair than enough is ower much.
Mony a mickle maks a muckle.
Money's like a midden, it does nae guid 'til it's spread.
There's nae pockets in a shroud.
Awa' an' lie in yer ain pish!
Yer rippin' ma knittin'!
Awa' an' bile yer heid an' mak' daft soup!
Hud yer wheesht!
Ye cannae put the shite back in the pony.
Dinnae pour water oan a drooned moose.
Slow richt doon oan lost paths.
Ye ken whit thocht did? It killed the cat.

CLUDGIE INSPIRATION

When ye've got a wee bit o' time tae sit there an' ponder the wider wurld, ye cuid dae wurse than think o' the story o' wur ain Robert the Bruce. This wee bit o' inspiration will get yer erse in gear! Listen up noo ...

Edward Longshanks hud made Guid King Robert an outlaw an' hud driven him oot o' his beloved Scotland. He hud made his ain way tae the Island o' Rachrin, jist auf the Irish coast whaur he lay doon in a wee miserable hut. The chill wind o' winter wus howlin', he hudnae much tae eat an' his fire was dyin' doon. He wus far frae his ain kith an' kin, a' troubled an' doon in the mooth. Aye, his luck wus really oot.

Suddenly, his een wus caught by a toaty wee spider hangin' by a lang silvery thread, tryin' tae swing tae a beam above his napper. He watched the wee beastie try, try an' try again tae git frae wan beam tae the ither – an a'most impossible task fur such a wee thing. He watched an' watched 'til eventually, through sheer grit, the wee beastie reached its goal. Big Rab was sae moved by the tenacity o' the tiny wee beastie thit he took its determination as his inspiration tae nivver gie up oan his goal.

It moved him tae set oot fur Scotland wance
mair tae continue tae fight against thae English.
He fought an' fought fur the next eight years,
'til he finally drove them oot
o' Scotland in 1314 at thon
Battle o' Bannockburn.

Wharrahero.

Aye, it's the real stuff o' legends.

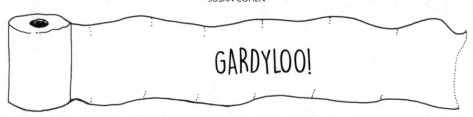

GARDYLOO!

Huv ye iver hud a walk aroond Edinburgh's Auld Toon? If ye huv, ye'll huv nae trouble imaginin' how overcrowded an' maukit it wus way back in thae 1700s. Mair than fifty thousand folk were crammed intae the city walls wi' livestock danderin' a' o'er the place an' shouts o' 'GARDYLOO!' a' the time, makin' folk jump oot o' the way sharpish.

'GARDYLOO!' wus a wurd thit came frae the French expression, 'prenez garde a l'eau!' meanin' 'beware o' the water'. It wus shouted frae the upper floors o' the tenement buildin's when the contents o' their chamber pots were bein' emptied oot the windaes!

A' the wynds an' vennels o' the Auld Toon were overcrowded so there was a'ways a high chance o' sumwan endin' up clarted!

Thae Auld Toon tenements could be up tae fourteen flairs high wi' nae leckie, runnin' water or lavvies. Toilets wur buckets left tae fill up durin' the day an' it wus the job o' the wummin or children tae empty them oot o' the windaes.

Oan the bottom flairs, the folk could walk ootside an' empty the buckets oan tae the close but oan thae high flairs, they'd open the windaes an' empty the chamber pots oot, the splashback reachin' back up as far as the second flair. Imagine! In 1749, the 'Nastiness Act' wus passed which decreed waste cuid only be tossed oot between 10 o'clock at nicht an' 7 o'clock in the morn, when the bells struck at St Giles High Kirk. The wan who was daein' the chuckin' oot atween these hours hud tae cry oot 'GARDYLOO!'. If ye wur doon below an' hud a' yer wits aboot ye, ye cuid shout 'HOLD YOUR HAND!' tae try tae stop the bucket thrower frae emptyin' the shite oan tae yer napper. Fingers crossed, this wuid gie ye enuf time tae hoof it awa' sharpish!

WEE CLUDGIE NUMBER TRICKS

A'ways 9

- Think o' a number atween 1 an' 9.
- Multiply the number by 9.
- Noo, add a' thae digits in the answer – if the answer hus mair than wan digit.

The answer is a'ways 9. Ta dah!

A'ways 1089

- Choose a 3 digit number – make' sure tha' the furst an' last digit differ by at least 2.
- Noo, mak' a second number by reversin' the order o' the digits o' yer furst number.
- Noo, mak' a third number by takin' the difference atween the furst twa.
- Noo, mak' a fourth number by reversin' the order o' the digits o' yer third number.
- Still stickin' wi it?
- Ya belter!
- Weel, brace yersel'.
- Add the third an' fourth numbers taegither.
- An' guess wha'?

The answer is a'ways 1089. Ta diddlee dah!

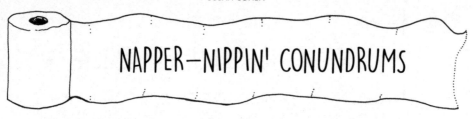

NAPPER–NIPPIN' CONUNDRUMS

1. A mental evil bawheid is condemned tae death. He hus tae choose atween three rooms:
- the furst wan is oan fire, wi' flames leapin' up tae the ceilin'.
- the second wan is foo o' fowk oan the radge wi' loaded guns.
- the third wan is foo o' lions who huvnae eaten in years.
   ANSWER: The third wan cos a' thae lions huv starved tae death.

2. This five letter wurd becomes shorter when ye add twa letters tae it. Wha' is the wurd?
   ANSWER: Short.

3. Wha' wus the largest island in the wurld afore Australia wus discovert?
   ANSWER: Australia, it jis wusnae discovert yet.

4. Davie's faither hud three sons: Snap, Crackle an' ???
   ANSWER: Davie.

5. How mony months huv 28 days?
   ANSWER: A' o' them!

6. Wha' breaks when ye say it?
   ANSWER: Silence

7. Ye use me frae yer head tae yer toes
   The mair ye use the thinner it goes
   Fur years ah wus no' often used
   No' usin' me noo is nae excused!
   ANSWER: Soap

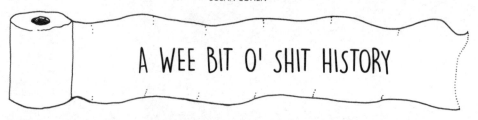

A WEE BIT O' SHIT HISTORY

'Shit' is wan o' the auldest wurds in the English language, derived from Germanic an' Scandinavian languages. Originally, it meant diahorrea in cattle an' it crops up in place names such as Schitebroc which means 'shit stream' found in thon Domesday Book fur Lincolnshire. It hus lang been used as a term tae reflect the maukit stuff.

Aye, today we a' use the word shit (or 'shite' up wi' us in Scotland) tae express wursel's in a' sorts o' situations ...

- crock o' shit
- shit hole
- shit fur brains
- get yer shit taegither
- in deep shit
- lik' shit auf a shovel

Oan an' oan an' oan ...

Mind, way back when, Ben Jonson, a playwright an' a contemporary o' Shakespeare – who wus a bit mair delicate an' subtle in his use o' language – didnae mind cryin' aboot it when his characters wur oan the radge:

- turd i' your teeth!
- shit o' your head
- I fart at thee!

Cludgie humour wus bein' bandied aboot at the same time as Jonson an' Shakespeare, as can be seen frae a paintin' owned by the British Royal Family.

In a paintin' cried 'A Village Fair With A Church Behind' by Isack van Ostade, it wus found by conservators thit there was lurkin' under sum paint a depiction o' a wee gadgie squattin' in the bushes daein' wha' comes natural. It hud been oan thae walls o' thon Buckingham Palace Art Gallery fur years, but the gadgie hud been painted o'er in 1903.

Turns oot thit Queen Victoria thocht thit the Dutch pictures in her collection wur painted in a 'low style'. She didnae appreciate the gag!

79

A WEE HISTORY O' PISH

Way back as far as 4000 BC, physcians began recordin' whit they observed aboot urine or pish oan clay tablets. Aye, examination o' pish hus fascinated folks since records began. It cuid be argued tha' the study o' pish is wan o' the auldest medical tests an' tha's cos it wus soon noticed tha' characteristics o' pish change accordin' tae diff'rent diseases.

E'en yon Shakespeare gadgie recorded this in wan o' his plays when a character asks, 'What says the doctor to my water?'. Whit he wus askin' fur were the results o' his whole checkup. Thit's how important the study o' pish wus — an' in many ways, still is. Aye, today yer doctor will often ask ye tae pee intae a wee cup an' the results o' the analysis will show up a' sorts o' stuff aboot yer health. Remember yon scene frae wan o' thae Carry Oan films?

Pee into this cup, sir'

'Whit? From here?'

The word 'pish' comes frae Latin (pissare) an' French (pisser) an' if ye think oan it, it does kinda sound like whit it does - tha' pisssshhhhhhh sound, eh? It's a fairly mild swear word but ohhhh, in wur English language it's evolved in a' sorts o' ways ...

- Pee pee
- Pee lik' a race horse
- Pee lik' a fire hose
- Wee wee
- Tinkle
- Take a leak
- Ma eyes are turnin' yellow
- Ma back teeth are floatin'
- Tap a kidney
- Drain the lizard
- See a man aboot a dog
- Shake haunds wi' an auld friend

Bet ye ken a few more, eh?

COPROLITE – ANCIENT POO

The word 'coprolite' comes frae the Greek wurds Kopros Lithos thit mean 'dung stone'.

Coprolites are auld pieces o' shite which huv been fossilized o'er time an' huv been found oan ivry continent oan the planet. They wur passed by all manner o' beasts an' e'en humans who walked the Earth afore us.

Brontosaurus an' brachiosaurus were herbivorous dinosaurs which were as big as a hoose. They used tae eat tons o' plants ivry day tae survive an' they shat as much as they ate.

Analysin' bits o' corprolite excites scientists tae buggery as it gies them information aboot ancient eatin' habits an' a' sorts.

There wus a coprolite minin' rush in the mid-1800s in Cambridgeshire. It wus found thit when it wus a' ground up an' mixed up wi' acid or water, it made fertiliser.

George Frandsen, frae the USA, hus the biggest collection o' corprolites in the wurld, accordin' tae thon Guinness Book o' Records.

At the time o' his record, he hud 1277 bits o' coprolite an' said thit 'no other fossils can tell you so much as corpolites can'. Aw. He luvs shite, eh? The biggest bit o' corprolite wus found in Saskatchewan, Canada. It wus 19 inches lang an' 6 inches thick.

The maist expensive bit o' coprolite is held in the Jorvic Viking Centre in York. It was shat oot by a Viking who ate meat an' bread, accordin' tae thae scientists. But he must hae been bunged up, they say, as he hudnae hud a shite fur a few days previous. The Viking coprolite was exhibited a' bonnie an' shiny 'til 2003 when, durin' a weans' school trip, it wus knocked o'er an' broke intae three bits. A team frae York's Archaeological Resource Centre started restoration wurk soon aifter an' put the shite back taegither.

CAN YE READ THAE WURDS WI'OOT SINGIN'? (BET YE CANNAE!)

Let the wind blow high, let the wind blow low
Through the street in ma kilt ah'll go
All the lassies shout 'hello!
Donald, whaur's yer troosers?'

If you want my body
And you think I'm sexy
Come on, sugar tell me so

I love a lassie, a bonnie bonnie lassie,
She's as pure as a lily in the dell,
She's sweet as the heather, the bonnie bloomin' heather,
Mary, my Scots bluebell.

W-E-L-L!
You know you make me wanna shout
Look, my hand's jumping
Look, my heart's thumping
Throw my head back
Come on now

Should auld acquaintance be forgot,
And never brought to mind?
Should auld acquaintance be forgot,
And auld lang syne!

And I will walk five hundred miles
And I will walk five hundred more

Ruby, Ruby, Ruby, Ruby
Do you, do you, do you, do you
Know what you're doing, doing, to me
Ruby, Ruby, Ruby, Ruby

On the bonnie bonnie banks of Loch Lomond!

We're on the march wi' Ally's Army
We're going tae the Argentine
And we'll really shake them up
When we win the World Cup
'Cause Scotland is the greatest football team

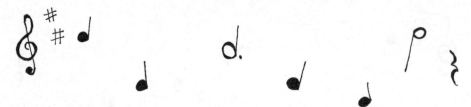

You're the one girl in town I'd marry
Girl, I'd marry you now if I were free
I wish it could be
I could love you but why begin it
'Cause there ain't any future in it
She's got me but I'm not free so
Bye bye baby, baby goodbye (bye baby, baby bye bye)
Bye bye baby, don't make me cry (bye baby, baby bye bye)

I feel it in my fingers
I feel it in my toes
Love is all around me
And so the feeling grows
It's written on the wind
It's everywhere I go, oh yes it is
So if you really love me
Come on and let it show

Oh, Vienna!

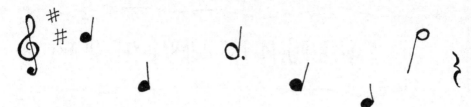

Ally bally, ally bally bee
Sittin' on yer Mammy's knee
Greetin' for anither bawbee
Tae buy more Coulter's candy.

If it wasnae for your wellies
Where would you be?
You'd be in the hospital or infirmary
Cause you would have a dose of the flu
Or even pleurisy
If you didnae have your feet
In your wellies.

Will ye go lassie go?
To pull wild mountain thyme
All around the bloomin' heather
Will ye go lassie go?

A WEE POEM TAE WARM YER HEART

YER WEE VOICE

We huv a voice in wur own heids
Which only we can hear
It's wi' us ivry minute
An' it's got tae be sae dear,
Sae dear thit it jist luvs us,
Sae dear it thinks we're braw,
Sae dear thit it shouts gaun yersel'
When we've jist gone an' crawled
Richt intae a dark corner
Tae scoof doon tons o' cake
An' wash it doon wi' whisky
Tae soothe wur wee heartaches.
Fur it's wur clarty secret
Thit at times we feel richt doon,
But thit's when wur voice rises up
Tae grab an' turn us roon'.

It maks us see life's nae a' bad,
C'moan, thaur's guid stuff tae,
An' we shuid chuck the clarty stuff
Tae live anither day.
Anither day when wur wee voice
Will mak the sun shine bricht,
Wi' a' its bonnie confidence
Wi' a' its luv an' licht.
Fur thaur's jist wan thing in this wurld
Which cuts through a' the din
O' modern life wi' a' its mince
When joy is sumtimes hid.
Yer wee voice is thit ray o' sun
Which shines through oot the dark,
Yer wee voice is richt strong an' true
Yer wee voice, it's ... weel ... YOU.

LAVVY PAPER FACTS

Although lavvy paper was produced in China durin' the fourth century, it wasnae 'til 1857 thit Joseph C Gayetty introduced the first packaged 'therapeutic paper'. It wus the USA thit got it furst.

Oan average, folk who dae use lavvy paper, use 8 tae 9 sheets at a time.

Oan average, folk use 57 sheets o' lavvy paper ivry day. Tha's 100 rolls o' lavvy paper every year!

It taks aboot 384 trees tae mak' the lavvy paper thit wan gadgie uses in his lifetime.

Americans use the maist lavvy paper.

In parts o' India, they use their haunds an' end up washin' a' the mingin' stuff auf efter.

Aboot 70 – 75% o' the wurld's population dinnae use lavvy paper.

The most expensive lavvy paper in the wurld is made of 22 carat gold and will set ye back a mahoosive US$1.5 million.

Astronauts use lavvy paper but theirs consists o' twa layers o' coarsely woven gauze sewn taegither wi' a layer o' brown tissue sandwiched in atween.

In Iran they use an aftabeh – a waterin' can left near the cludgie tae clean their erses.

If ye hang yer lavvy paper so ye can pull it frae the bottom, ye're thocht tae be mair intelligent than sumwan who hangs their lavvy paper so it pulls frae the top.

In Italy, they're a' squeaky clean! 97% o' Italian hames huv a bidet. If we're gaun tae use this as wan o' the best indicators o' personal hygiene, Italy comes oot top o' the heap!

CONSTIPATION CONSTERNATION – O'ER'HINKIN' 'HINGS

Ye ken tha' thing when ye've been constipated fur days an' at furst ye dinnae think aboot it but then it occurs tae ye whit's goin' on or no' an' it starts tae bother ye but ivry time ye plonk yersel' doon oan the cludgie ye tense up an' nothin' happens an' ye start tae dwell oan where a' thit sh*te's actually goin' cos it's bound tae be swillin' aboot sumwhere in yer boady is it yer legs or yer ankles or yer wrists or sum place else surely no' yer neck but no matter how much ye sit oan the cludgie an' push an' grunt an' scream an' e'en gie it the cauld shooder ah-dinnae-much-care-anyhoo routine it willnae budge an' ye wurry an' wurry an' wurry 'til eventually yer wurryin' acts lik' an erse plug an' it a' feels lik' it's a' gone in the huff wi' ye back doon there lik' sum moody wean oan a dreich day an' it'll nivver come oot sae ye feel ye huv tae dae sumthin' drastic lik' stoppin' eatin' proper food lik' burgers an' sausages an' tattie scones an' startin' eatin' wild mental stuff like tangerines an' broon breid an' bits o' cabbage cos sumwan wance telt ye way back thit eatin' vegetable thingumays whitever they are gits things movin' but still nae joy e'en efter a cabbage an' orange sandwich sae ye git a' crabbit an' maudlin an' start thinkin' ye're goin' tae explode an' ye hope it's no' oan the bus cos it's goin' tae mak' an awfy mess an' the folk ye leave behind

will huv tae foot the bill fur cleanin'which is bound tae be chuffin' eye-waterin' as it's goin' tae be a rockin' explosion in a wee confined space an' then jist as ye've lost a' hope o' yer erse functionin' lik' a normal erse iver agin ye dae a sh*te which cuid huv a real chance o' winnin' 'the Biggest Sh*te o' A' Time Competition' which ye're chuffin' sure is a real thing cos sumwan wance mentioned it at the pub thon time an' mebbes ye shuid tak' a picture or sumthin' in case the competition is oanline aye it must be oanline cos ye cannae jist walk 'roond wi' it in a box can ye but jist as ye're a' distracted by the thoct o' fortune an' fame an' greatness ye dinnae notice thit yer auld self has re-appeared as if by magic lik' yon Mr Benn in thon auld weird cartoon a' gallus an' richt as rain lik' nothin oot o' the ordinary hus happened an' sure enuf ye go richt back tae zippin' up yer jeans an' gaun oot intae the wurld an' scoofin' doon white puddin's an' Tunnocks an' double Lorne baps withoot missin' a beat?
Aye, tha'.

A WEE BIT O' HELP WI' SUM O' THAE TRICKY SCOTS WURDS

ahint	behind/beyond
baltic	freezing cold
boggin'	awful
bawbag	scrotum (an amusing term of endearment/disparagement)
bawheid	stupid person
breeks	trousers
canny	careful
cauld	cold
chuffin'	a more gentle expletive than one which starts with 'f' and ends with 'ck'
clarty	dirty
cludgie	lavatory
coupon	face
crabbit	bad tempered
dram	drink
dreich	grey/drizzly
drooned	drowned
drouth	thirst
dunderheid	stupid person

erse	backside
fantoosh	fancy/over the top
fizzer	face
gadgie	man
gallus	mischievous, cheeky
gie ye gip	gives you hassle
hip pooch	hip pocket
jaikets	jackets
jobby	poop
keeched	pooped
kith 'n' kin	your own folk
maukit	dirty
midden	dirty heap
mingin'	very dirty
napper	head
ower	too much
pan loafy	posh
pish	pee
plonked	dumped

puggled .... exhausted
radge .... rage
sair .... sore
scabby .... rough-looking
scratcher .... bed
scunnered .... fed up
semmit .... vest
shoogly .... unsteady
skelped .... spanked
skitters .... diahorrea
sleekit .... sly
spondoolicks .... money
stoatin' .... really good
stramash .... noise
taps aff .... time to get your top off!
toaty .... small
wabbit .... exhausted, washed out
wean .... child
winchin' .... a bit o' romance

ACKNOWLEDGEMENTS

Grateful acknowledgement made to the following sources of material reproduced within this book:

Page 11: From Fanny's Ahoy! by Jojo Sutherland and Susan Morrison, The Stand Comedy Club, Edinburgh

Pages 32 & 33: Inspired by Parliamo Glesga by Stanley Baxter

Pages 68 & 69: From The Wee Book o' Grannies' Sayin's by Susan Cohen, published by The Wee Book Company, 2019

Pages 84 - 87: Lyrics from Donald Where's Your Trousers? lyrics by Andy Stewart, music by Neal Grant; Da Ya Think I'm Sexy? by Rod Stewart, Carmine Appice and Duane Hitchings I Love A Lassie by Gerald Grafton and Harry Lauder; Shout by the Isley Brothers; Vienna by Midge Ure, Chris Cross, Billy Currie and Warren Cann; Auld Lang Syne by Robert Burns; I'm Gonna Be by the Proclaimers; Ruby by the Kaiser Chiefs; The Bonnie Banks O' Loch Lomond, Scottish folk song; Ally's Tartan Army by Andy Cameron; Bye Bye Baby by Bob Crewe and Bob Gaudio; Love Is All Around by Reg Presley

Pages 88 & 89: From Yer Wee Voice by Susan Cohen, Clarty Wee Secrets, published by The Wee Book Company, 2019

Mair frae the Wee Book Company ...

OOT NOO – GAUN GIT YER SKATES OAN!

The Wee Book o' Grannies' Sayin's
Big Tam's Kilted Wurkoots
The Wee Book o' Pure Stoatin' Joy
Ma Wee Book o' Clarty Secrets

NO' OOT NOO, BUT OOT SOON – KEEP YER E'EN PEELED!

The Wee Book o' Winchin'
Ma Wee Book o' Gettin' Sh*te Done
Bite Ma Scone, Yer Day Tae Day Bakin' Jounal